KB171713

블루네이션 팝스

발　행 | 2024년 03월 25일
저　자 | 이종필
펴낸이 | 한건희
펴낸곳 | 주식회사 부크크
출판사등록 | 2014.07.15.(제2014-16호)
주　소 | 서울특별시 금천구 가산디지털1로 119 SK트윈타워 A동 305호
전　화 | 1670-8316
이메일 | info@bookk.co.kr

ISBN | 979-11-410-7775-4

www.bookk.co.kr

블루네이션 팝스
(Blue Nation Pops)

이종필 지음

아름다운 시는 영혼을 즐겁게 하지만 이성을 마비시킨다.

목차

서시

새하얀 순결한 입맞춤처럼
사랑도 하지 않는 남자의
입술에 입을 맞춘 건
그녀는 단지 돈이 필요했을 뿐이다.
남이 볼 때 연인끼리 하는 순결한
입맞춤처럼 보일 테지.
그건 그가 원하던 거였으니까.

한 여름에. 육체의 광란(狂亂)이 끝나고.
터벅터벅 블루 네이션의
바깥거리를 걷고 있으면
자신의 안에 흐르고 있는
그 음울함과 열매가
되지 못하는 덧없음을
다행으로 여겨야 할지
슬퍼해야 할지 모른다.

"Because everyone is equal."
들려오는 여인내의 신음소리와
절대 이룰 수 없는 그 슬로건.
"Let's live happily."
절대 이룰 수 없는
그 블루 네이션의 유일한 진실.

그녀는 블루 네이션의 거리를 걸으며
요정의 노래처럼 들려오는
그 가사와 멜로디를 듣는다.
"Blue Nation Pops"

2034년 6월 7일 수요일

(그녀는 강남의 한 스타벅스 매장에서 아메리카노를 마시며 그 자리에서 노래를 부른다.)

이젠 아무것도 믿지 않을 거야.
그렇게 허공에다 속삭이다가도
과거의 추억에
그 씁쓸함과 달콤함에
자신의 이야기를 늘어놓지.

이 자리에서 회상하는 건 아직 일러.
don't worry. We'll talk soon.
철지난 춤을 추며
그 씁쓸함과 달콤함에
자신의 슬픔을 늘어놓지.

명왕성 보다 차갑고,

피노키오보다 목석(木石)인
나 자신을 저주하지도 못해.

이젠 아무것도 믿지 않을 거야.
그렇게 허공에다 속삭이다가도
눈앞의 내 운명을
보았을 때는 분명
또 철지난 그 메이크업을 하겠지.

이 자리에서 회상하는 건 아직 일러.
don't worry.
Because this is your destiny.
이젠 아무것도 믿지 않을 거야.
그 씁쓸함과 달콤함에
자신의 이야기를 늘어놓지.

명왕성 보다 차갑고,
피노키오보다 목석인 내가.

2034년 6월 8일 목요일

(그녀에게는 두 명의 남자가 있었다. 한 명은 정말 사귀는 사이로 신촌의 장천근린공원 벤치에 앉아 그에 대해 회상을 하며 노래를 부른다.)

당신이 알게 된다면 실망할거 알아도
내 첫 경험은 열다섯 살
호기심 어린 관계였지요.

이제 내 나이가 스물 한 살이 되고,
당신은 스무 여섯 살.
많은 건 바라지 않지만
절 이끌 사람이 필요해요.

큰 키에 넓은 어깨.
오빠는 너무나 멋졌지만
나 역시 오빠에게 어울릴

예쁜 여자라 생각했어요.

(근처의 대중들) That's right! But it's not fate.

예쁜 얼굴을 하면서도
짐승의 마음을 지닌
오빠와의 만남을 기대하곤 했어요.
머리가 어질어질한
그 악마 같은 사상에
물들기 전이니까.

이제 내 나이가 스물 한 살이 되고,
당신은 스무 여섯 살.
수많은 술잔이 오고가고,
전 마리오네트처럼 술에 취해
오빠 앞에서 비틀비틀 거리겠죠.

내 가슴을 우유가 든 풍선처럼
만지는 것도 좋았고,
내 머릿결을 탐스러운 비단마냥
냄새 맡는 것도 좋았지만
이것만은 진실해졌으면 했어요.
정말 사랑해서 그러했다고.

(근처의 대중들) That's right!
But it's not fate.
you are just a little bird.
It was his little prey.

2034년 6월 9일 금요일

(그녀는 토요일날 광란의 밤을 위해 오늘은 집에서 내일 클럽까지 입고 갈 옷을 고른다.)

나의 아늑한 6평 오피스텔.
SNS에는 너무나 앙증맞고,
깨끗하다고 여우년들이 칭찬하지.
사실 강남에서 이런 오피스텔
마련하기가 쉽지 않아.
스무 두 살 여자가.
"사실을 말하자면 놀랄걸."
뻔 한 결말이지만
내가 먼저 유혹해서
돈 좀 많은 남자
이용해서 뜯어 낸 거.
특히 마누라 있는 놈들이
더 약발 잘 먹히지.

여자 손 못 잡아본
병신 새끼도 약발 잘 먹히지만
초식남들도 많아서 실패하기가 쉽지.
나를 나쁜 년이라 하지 마.
너희 여우년들도 그렇잖아.
겉으로는 고귀한 척.
겉으로는 깨끗한 척.
실재로는 자신의 이익을 위해
너희 몸을 탐하는 남자를 이용하지.
거래가 있으면 대가가 있는 법.
내 영혼이 뭔가 나빠지려고 하는데,......
아아! 머리 아파 죽겠어.
더 이상 생각하지 않을래.
내일 클럽에 갈 때
아마 그 여자 아이돌,
그 개 같은 년과 같은
옷을 입고 나갈 거 같아.
검정색 클럽 미니 원피스 말이야.
나를 여신으로 보이게 하려면
그게 딱이란 말이야!
어차피 머리가 어질어질한
그 악마 같은 사상에
물든 나는 남자는 그저 이용거리고,
쾌락을 푸는 수단일 뿐이니까.

그래! 오늘은 이걸로 정할거야.
그 개 같은 년이 SNS앞에서
노래 할 때 입고,
춤추는 검정색 클럽 미니 원피스 말이야.

2034년 6월 10일 토요일

(나이트클럽에서 그녀는 광란의 시간을 보낸다. 그때 댄스를 출 때 나오는 음악이다.)

(male voice rap) blue nation pop.
baby! You will never be able to leave.
Because this country has everything.
But nothing really matters.

(female song) 검은 눈들이
나를 쳐다볼 때 마다 스릴을 느껴.
가끔가다 내가 여왕이 되는 느낌이 들어.
이 블루 색채, 죽여주는 그거 알잖아.
내가 말해줘도 남자들은 몰라.
이 실크 스커트 내 몸에 스치는 감각을.

(male voice rap) blue nation pop.

baby! You are pretty,
but you are the queen of this place.
Because this country has everything.
But there is no real happiness.

(female song) 검은 눈들이 나를 훑고
지날 때마다 흥분을 느껴.
가끔가다 내가 창녀가 되는 느낌이 들어.
이 블루 색채,
빌어먹을 말해줘도 모를 거야.
매끄러운 그 드레스가
내 허벅지를 휘두르는 감각.
부드럽고, 차가운.
여자로 태어난 것을 감사하지.

(male voice rap) blue nation pop.
baby! You will never be able to leave.
Because this country has everything.
But there is no truth.
So enjoy!
Here comes the man who
will spend the night with you!

2034년 6월 11일 일요일

(홍대입구역 가까운 곳의 모텔에서 그녀는 실오라기 하나 걸치지 않는 알몸으로 침대에서 술에 덜 깬 체 깨어난다. 오늘 새벽 얼굴도 기억 못하는 남자와 격렬한 밤을 보낸 걸 기억하고는 자신의 가랑이 중앙에 흘러내리는 액체를 보고는 한숨을 크게 내 쉰다. 기가 막힌 건 침대 맡 쪽지에 남자가 숙박비 반만 계산했다고 메모를 남겨 놓은 것이다. 그녀는 알몸으로 침대에 뒹굴며 짜증내어 노래를 부른다.)

성스러운 주일의 날,
나는 하나님을 믿지 않지만
혹시 몰라 교회에는 다니는 척 하지.
운명이 있다면
Diamond blue, 웃고 그냥 지나칠래.

재수가 없다지만
기억에서 지워진 그 시간이
분명 기분 좋았을 테지.
또 다른 나는 그걸 느꼈겠지만
I want to remember too,
너랑 그 기억을 같이 하고 싶어.

새벽 달빛에 속삭이는 사랑의 말들.
또 다른 너는
무척 섹시하면서도 열정적이었어.
핑크빛 스윗한 그 기억들.

성스러운 주일의 날,
나는 하나님을 믿지 않지만
혹시 몰라 좋은 교회
언니, 누나인척은 하지.
내 잘못이 커.
sapphire blue, 속으로 원망해도 소용없어.
재수가 없다지만
기억에서 지워진 그 시간이
분명 황홀했을지도 모르지.
또 다른 나는 그이를 보았을지도 모르지만
I want to remember too,
너랑 그 기억을 하고 싶어.

새벽 달빛에 속삭이는 사랑의 말들.
너의 손을 잡은 사람은
그냥 평범했을지도 몰라.
핑크빛 스윗한 그 기억들.
I want to remember too,
너랑 그 기억을 하고 싶어.

2034년 6월 12일 월요일

(이날은 하루 종일 가랑비가 내려서 어제 일도 있어 우울하다. 먹을 걸로 기분을 풀러 투썸플레이스 강남 신사점에서 딸기 퐁당 라떼와 마이 투썸하트를 오랜 시간에 걸쳐 먹으며 스트레스를 푼다. 그때. 스피커에 흘러나오는 감미로운 남성이 부른 발라드이다. 진정한 사랑을 애타게 노래하고 있지만 그녀는 진정한 사랑을 모른다.

거의 만찬을 다 즐기는 중 그 개 같은 년이 전화를 하는데 고민이 있다며 내일 만나자고 한다.)

그대, 그대 모습 너무 아름다워.
노을 진 그 바닷가
단 둘이 있고 싶어졌네.
그대, 그대 모습 너무 아름다워.

백합꽃 가득한 그 정원에
그대와 단 둘이 있고 싶어졌네.

인생의 파트너란
한쪽이 힘들 때에 힘이 되어주고,
한쪽이 투덜거려도 모든 걸 받아주는 것.
그대는 내게 힘이 되는 존재.
다른 행성에 단 둘만 있어도
그대는 내게 힘이 되는 존재.

그대, 그대 모습 너무 아름다워.
사진 속에 새겨두면
오래도록 간직하고 싶어.
그대, 그대 모습 너무 아름다워.
그대만 보면 왜 눈물이 흐르는지
마음은 항상 설레지.

인생의 파트너란
어떤 악조건 속에도
사랑의 결실을 맺을 수 있는 것.
그대는 내게 힘이 되는 존재.
사진 속의 그대 모습,
죽을 때까지 간직하고 싶어.
그대는 내게 힘이 되는 존재.

다른 행성에 단 둘만 있어도
그대는 내게 힘이 되는 존재.

그대. 그대 모습 너무 아름다워.
그대. 그대 모습 너무나도 아름다워.

2034년 6월 13일 화요일

(그 날 오후. 같은 장소에서 그 개 같은 년을 만난다. 서로 P.딸기 우유 생크림을 먹으며 겉으로는 고민을 들어주며 웃고 있지만 그 년의 고민은 하나도 기억나지 않는다. 단지 그녀는 그 년의 출신과 내력을 회상하며 가소롭다는 듯이 마음속으로 그 년을 조롱하는 노래를 부른다.)

너는 나를 친한 친구로 생각하고 있지만
그건 다 나의 자기만족이었어.
넌 모든 점이 나보다 못하기에
너의 친구가 되어
나는 너처럼 되지 않는 걸
감사하게 위로 받기 위함이야.

너의 부모님은 일찍 이혼해서
어머니는 다른 남자랑
살림을 차리고,
너의 아버지는 매일 술에 찌들어 살았지.
넌 가난하기에
정크 푸드만 먹으며 살아왔고.
고등학교 때 돼지라고 불릴 정도로
살이 쪄서 주위 애들한테 왕따나 당했지.

그런데 뭐야.
고등학교를 졸업하자마자 넌 살을 뺏고.
나와 같이 예뻐졌어.
원래 본바탕이 예쁜 애였지만
신데렐라처럼 될지는 몰랐어.

너는 나를 친한 친구로 생각하고 있지만
그건 다 나의 자기만족이었어.
난 너보다 부자고,
예쁨을 받고 살았기에
너의 친구가 되어
너에게 아버지께 사랑받는다는 걸
자랑하고 싶었는데 네가 더 기뻐했지.

너는 고등학교를 졸업하자마자

직장에 들어가 일을 해야 했고,
남들 다 대학의 낭만을 느끼며 살아갈 때
넌 힘들고 고된 일을 하며
아끼고, 아끼고 또 아끼며
구질구질 하게 살아야 했지.

그런데 뭐야.
고등학교 졸업하고
나와 같은 나이일 때
넌 벌써 작은 차를 사고,
작은 집을 샀어.
뭐 우리 집보다 너무나 초라한 집이지만
네가 그 절망의 구렁텅이에서
일어설 줄은 몰랐어.

그런데 뭐야.
난 개새끼들 문제 때문에
대학교 휴학하고 있는데
이 개 같은 년은
진짜 사랑하는 남자가 생겼다며
자랑하고 있잖아.
원래가 뚱뚱하고,
볼품없는 년이었는데
갑자기 나보다 왜 더 예뻐진 거야?

(다른 목소리가) 원래 본바탕이 예쁜 애였잖아.
원래가 뚱뚱하고,
볼품없는 년이었는데
왜 사랑하는 남자가 생긴 거야?
(다른 목소리가) 원래 착하고,
부지런한 애였잖아.

넌 모든 점이 나보다 못하기에
너의 친구가 되어
나는 너처럼 되지 않는 걸
감사하게 위로 받기 위함인데
왜 너 같은 년이
더 부러운지 모르겠어.

2034년 6월 14일 수요일

(어제 그 개 같은 년과 의미 없는 수다나 떨면서 하루를 보냈지만 오늘은 그 개 같은 년이 떠오르며 하루가 짜증난다. 짜증난 기분을 풀기 위해 강남에 있는 사우나에서 거품 목욕을 하며 그 개 같은 년이 노래 부르는 그 고민이 뭔지 곰곰이 되새겨본다. 왜 이렇게 그 년의 애절한 노래가 기억나는지 자기 자신에게도 화가 난다.)

그를 어떻게 사랑해야 하는지 모르겠어.
그만 보면 너무 눈물이 나와.
나에게 살포시 다가오는 그를
나는 어떻게 사랑해야 하는지 모르겠어.

예전에는 아주 못난 아이였지.

난 축복받은 여자가 아닌데.
갑자기 진정한 사랑이 찾아왔어.
처음 만났을 때
아무것도 먹지 않고 그만 쳐다보았지.
그와 얘기 하는 것만으로도
행복에 빠졌어.
물론 그는 다른 남자들과 다른 면이 있지만
아니. 그는 단지 평범한 남자일 뿐이야.
돈이 많은 것도 아니고,
잘생긴 것도 아닌데
이상하게 나를 눈물 나게 만들어.

그를 어떻게 사랑해야 하는지 모르겠어.
그만 보면 자꾸만 웃음이 나와.
나의 몸 나의 마음 모든 걸 주고 싶을 정도로
너무나 사랑하는데.
나는 어떻게 사랑해야 하는지 모르겠어.

예전에는 아주 가난한 아이였지.
난 항상 불행한 여자라고 생각했어.
그런데 갑자기 진정한 사랑이 찾아왔어.
그와 다시 만났을 때
사랑한다고 그의 품에서 울고 말았지.
그와 얘기 하는 것만으로도 행복에 빠졌어.

물론 그는 내 눈에만 보이는 대단함이 있지만
아니. 그는 단지 평범한 남자일 뿐이야.
동화속의 왕자님도 아니고,
벤츠남도 아닌데
이상하게 그는 나를 눈물 나게 만들어.

그를 어떻게 사랑해야 하는지 모르겠어.
나의 몸 나의 마음 모든 걸 주고 싶을 정도로
너무나 사랑하는데.
나는 어떻게 사랑해야 하는지 모르겠어.

2034년 6월 15일 목요일

(오늘은 대치동의 스타벅스 커피숍에서 앉아 아메리카노 세잔으로 하루 종일 애플 노트북으로 SNS를 하며 그 어질어질한 악마 같은 사상에 동조하는 여성들과 채팅하고 있다.

자신이 과거 소녀시절의 자신과 그 개 같은 년과 같이 진정한 사랑에 얽매이지 않는 다는 것에 감사하며 진정한 사랑에 대해 비웃고, 경멸하며 노래 부른다.)

여자는 묵은 와인 같은 것.
시간이 지나면 똥차가 가고,
벤츠가 온다.
편하게 살고 싶으면
내 말을 들어봐.

어느 물소가 있었어.
물소의 아내는 결혼을 하자마자

직장을 그만두었고,
집에 틀어박혀 먹고,
살찌며 편하게 지냈지.
아내의 집안은 가난해서
그가 먹여 살려야 했고,
이 물소는 책임감 때문에
아내와 헤어지지 못하고,
술과 담배로 스트레스를
풀어야했지.

(주위 여자들이) 곧 도축되겠네. 곧 도축되겠네.
얼마나 맛있는 고기가 나올까?

어느 물소가 있었어.
물소의 아내는 결혼해서
단 하루도 그와 사랑을 나누지 않았고,
집에 틀어박혀 먹고,
살찌며 편하게 지냈지.
(주위 여자들이) 어머! 창녀만도 못하네.
창녀는 돈이라도 주면 하는데.
물소가 돈을 벌어오면
그의 아내와 처가 식구들이 전부 뜯어갔지.
이 물소는 책임감 때문에
아내와 헤어지지 못하고,

결국 단 한 푼도 자기를 위해
쓰지 못한 채 한창때 심장마비로 죽었지.

(주위 여자들이) 곧 도축되겠네. 곧 도축되겠네.
얼마나 맛있는 고기가 나올까?

물소의 아내는 그가 죽은 후
딴 남자를 찾아 가겠지.
처가 식구들은 또 다른 물소를 찾으려 하겠지.
여자는 묵은 와인 같은 것.
시간이 지나면 똥차가 가고,
벤츠가 온다.
편하게 살고 싶으면
내 말을 들어봐.

(주위 여자들이) 곧 도축되겠네. 곧 도축되겠네.
얼마나 맛있는 고기가 나올까?

2034년 6월 16일 금요일

(그녀가 물소를 조롱하며 노래를 부를 때. 그 다음날. 한 여자가 비참하게 생을 마감한다. 그녀의 약혼자가 SNS에 퍼진 물소의 종말을 알고, 지병이 있는 자신의 약혼녀와 가난한 약혼녀의 가족이 자신을 물소로 결국 도축한다고 결론짓고, 약혼녀와 싸운 후. 여성에 대한 증오로 약혼녀를 칼로 무자비하게 난도질하여 죽인다. 약혼녀는 단지 기념일에 자기 남자에게 꽃만 받고 싶어 하고, 자신은 몸이 아프면서도 약혼자를 위해 케이크를 손수 만들 작정이었다.

약혼자는 자신의 약혼녀를 죽이며 광기에 차서 노래를 부른다.)

죽어! 죽어! 죽어! 제발 죽어!
내 눈에 이글거리는 너의 일그러진 모습.

바퀴벌레 보다 혐오스러운 네 얼굴.
죽어! 죽어! 죽어! 이것은 운명.

나 같은 남자가
어떻게 도축 당하는지 알게 됐지.
가슴을 쑤셔 죽여!
목을 찔러 죽여!
배를 갈라 죽여!
앞으로 네가 날 어떻게 할지 알게 됐지.
네가 지병이 있는 거 알아.
그때는 단지 우리가 힘을 합쳐
극복할 수 있을 거 같았어.
네 어머니가 가난 하는 거 알아.
그때는 단지 네 가정형편이
좋지 않다고만 생각했어.
그 불쌍한 놈의 종말을 알게 되니
나도 그런 종말을 맞이할 거란 계시가 보였어.

죽어! 죽어! 죽어! 제발 죽어!
내 눈에 이글거리는 너의 일그러진 모습.
그때는 누구보다 사랑스러웠던 네 얼굴.
죽어! 죽어! 죽어! 이것은 생존.

나 같은 남자가

어떻게 도축 당하는지 알게 됐지.
가슴을 쑤셔 죽여!
목을 찔러 죽여!
배를 갈라 죽여!
네 모습이 혈화(血花)로 꽃필 때마다
그날 밤 우리가 하나가
된 날이 자꾸만 떠올라.
왜 이리 슬프면서도 애처로운지
나는 단지 날 이용하려는
벌레를 죽이는 것뿐인데.
나는 단지 날 이용하려는
기생충을 죽이는 것뿐인데.
그 불쌍한 놈의 종말을 알게 되니
나도 그런 종말을 맞이할 거란 계시가 보였어.
왜 이리 슬프면서도 애처로운지
난 지금 네 차갑게
식은 몸을 끌어안고, 울고 있어.
오! 신이시여! 내가 무슨 짓을 한 거지!!

2034년 6월 17일 토요일

(원래 나이트클럽에 가려고 했으나 SNS에 100만원으로 100억을 만들 수 있다는 주식방이 있어 일단 의심하고 들어가 본다.
방장이 김여사라는 사람으로 자기말로는 자기는 사십대의 백억 이상의 현금을 가진 자산가라고 한다. 김여사는 리딩방에 들어온 그녀에게 해외선물 투자를 권하며 여자에게는 무엇보다 돈이 중요하다고 노래한다.)

한국 남자들은 물소라고 하죠.
젊고 예쁘면 돈이 없어도
뭐든지 용서된다지만
나이가 들고, 얼굴에 주름이 한두 줄 생기면
과연 그럴까요?

돈이야 말로 여자의 동반자예요.
남편이 아무리 잘 나간다 해도
당신이 잘 나가는 건 아니죠.
당신이 늙으면 딴 마음 먹기 마련이죠.
도축을 먼저 하지 않으면
당신이 먼저 당하기 마련이죠.
그때 최고의 변호사로 많이 뜯어내려면
많은 돈이 들지 몰라요.

화려하게 돌아온 싱글이라도
돈이 없다면 쭈그렁탱이 할카스 일뿐이죠.
돈이야 말로 여자의 동반자예요.
돈이 있다면
당신이 원하는 어느 사랑이라도
할 수 있으니까요.
피터린치, 케네스 피셔, 존 네프
워렌 버핏, 어디에 투자해야 하죠?
어리석게 땀 흘리며 일하는 건
바보나 하는 짓이죠.

"열심히 일하지 않는 자는 먹지를 말라."
이런 옛날 속담이 있었죠.
하지만 지금의 속담은 이거예요.
침대에 누워 버튼 몇 번만 누르면

열심히 일하는 자들보다
수 백 수 천 배 벌 수 있어요.
“그러니 영혼까지 빚내서 투자하라.”

돈이야 말로 여자의 동반자예요.
당신이 돈이 많으면
의사, 변호사, 사업가, 정치가, 예술가
원하는 남자를 골라 가질 수 있죠.
돈 없이 예쁜 외모만 보는 시대는 지났어요.
이제 여자도 돈을 가지고 있어야 하죠.
피터린치, 케네스 피셔, 존 네프
워렌 버핏, 어디에 투자해야 하죠?

아직도 신데렐라가 되려는
꿈을 가진 여자는 많아요.
그렇지만 진실을 가르쳐줄게요.
신데렐라 아버지는 부자였고요.
꿈꾸는 숲속의 공주도
공주이기에 왕자가 키스 한 거랍니다.
그렇기에 진짜 부자에
존잘남은 부자 여자를 고르죠.
당신이 부자라면 외모는 상관없어요.
당신이 부자라면 나이는 상관없어요.
당신이 부자라면,

당신이 부자라면,
돈이야 말로 여자의 동반자예요.

2034년 6월 18일 일요일

(이날은 오랜만에 교회에 가는 날이다. 교회에 존잘남이 가끔 오기 때문이다. 그녀는 그 존잘남을 보고, 어떻게 꼬실까 궁리하고 있다가 교회봉사에 대해 집사님이 물어보자 바쁘다고 사양한다. 그러면서 신을 찬양한다고 거짓 대답한다.

그리고 존잘남은 그 집사의 아들인데 그녀의 대답을 듣고, 흥미가 생겼는지 언제 밥이나 같이 먹자고 한다. 그녀는 존잘남의 데이트 신청에 신나서 속으로 노래 부른다.)

내가 하나님을 믿고 있는 건 아니지만
이럴 땐 있다고 믿고 싶어.
교회에서는 좋은 언니. 좋은 누나.
밤에는 당신도 모르는 본성을 숨기고 있지.

솔직히 성스럽고, 재미없는 하나님보다
짜릿한 몰렉이나
쾌락을 주는 바알이 나을 때도 있어.

(교회사람들) 하나님! 이번에는
사업을 번창하게 해주세요. 아멘!
하나님! 이번에는 시험에서 일등하게 해주세요, 아멘!
아멘! 아멘! 아멘!

교회 집사님이 내가 예쁘다고,
교회 홍보하는데 정문에서
주보 나누어주면 좋겠다고 했어.
난 순진하고 부끄러운 여자라 남들에게
나서면 고개를 못 든다고 했지.
(물론 바쁘다고 안 된다고도 했어.)
교회에서는 좋은 언니. 좋은 누나.
교회에 오는 중학교 사내새끼들이
내 블라우스에 은근 보이는
가슴골을 몰래 보는 거 알아.

(교회사람들) 하나님! 이번에는
당뇨병을 나을 수 있게 해주세요.
물론 피자, 치킨은 실컷 먹겠지만요. 아멘!
하나님! 이번에는 람보르기니

살 수 있게 해주세요. 아멘!

역시 하나님은 좋은 분인 거 같아!
이런 존잘남이 나에게 데이트 신청을 하다니.
내가 하나님을 믿고 있는 건 아니지만
이럴 땐 있다고 믿고 싶어.
교회에서는 좋은 언니. 좋은 누나.
교회에 오는 고등학교 년들이
나를 시기 질투하는 거 다 알아.
언젠가는 인생의 쓴 맛을 보여주겠어.

하나님! 이것저것 다 이루어 주세요!
목사님도 하나님을 잘 믿는 거 같지 않고요.
교회가 번창해야 하나님도 번창하잖아요.
그렇지만 역시 짜릿한 몰렉이나
쾌락을 주는 바알이 더 나을 때도 있어.

(TV에서 들려오는 목소리) 그분은 당신을 사랑하십니다.
하지만 돈이 필요하죠.
교회에 기부를 많이 하면 천국에 갑니다.
절에 시주를 많이 하면
업보가 사라지고, 극락으로 갑니다.
회관에 재물로 음복(飮福)을 많이 하면

덕이 쌓이고, 만사형통합니다.
모두 가진 것을 다 내놓으십시오.
하나님. 진리, 천존, 옥황상제, 석가께서는
여러분을 사랑하십니다.

2034년 6월 19일 월요일

(이날은 몇 주일 만에 있는 실컷 먹는 날이다. 지난주에 화풀이로 케이크 하나를 다 먹었지만 오늘은 온갖 육식과 만찬을 즐긴다. 물론 그 비용은 마이너스 통장으로 지불한다.
 그녀는 만찬을 즐기며 인생의 즐거움을 노래한다.)

(재즈풍으로) 천국! 천국! 솜사탕처럼 부드러운
그 행복을 만끽하네.
불고기피자! 신당동 떡볶이! 콜라!
순살간장치킨! 뉴욕치즈케이크!
먹고 나면 후회되겠지만
몇 주일에 한 번씩 찾아오는 포식의 날.
(마음속에서) 내일이면 또 저탄고지야.
돼지가 되고 싶지 않기에

지옥의 가시발길을 걸어
지금까지 참아왔지.
아주 가끔씩.
아주 가끔씩 이런 포식은 달콤한 인생의 맛!
천국! 천국! 연인의 입술처럼 달콤한
그 행복을 만끽하네.
당뇨! 고지혈증! 뇌경색!
지방간! 심근경색!
자제하지 못하고, 매일 포식하면
그 돼지 언니처럼 이런 병의 약을 달고 살걸.
먹고 나면 후회되겠지만
몇 주일에 한 번씩 찾아오는 포식의 날.
(마음속에서) 내일부턴 또 운동과 다이어트야.
자제 할 줄 아는 나는 지금도 날씬한 몸매.
몇 주일에 단 하루 한 끼뿐이야.
아주 가끔씩.
아주 가끔씩 이런 포식은 뿅 가는 인생의 맛!
내일부터는 열심히 운동해서
이전의 상태로 만들어야 해.
천국! 천국! 솜사탕처럼 부드러운
그 행복을 만끽하네.

2034년 6월 20일 화요일

(포식 다음날. 초고도비만 여성의 브이로그를 보며 식탐에 대한 경각심을 얻는다. 겉으로는 그녀를 위로하지만 속으로는 실컷 비웃으며 저주를 퍼붓는다.)

언젠가는 꿈속의 왕자님을
만나게 되겠지요.
겉으로는 웃으며 말하지만
속으로는 돼지라고 놀린다.
"언니! 힘내세요."
"언니랑 밥한 끼 먹고 싶어요."
겉으로는 웃으며 말하지만
속으로는 "이렇게 되지 말아야겠다." 다짐한다.

그 년들이 맨 날 하는 얘기.
"오늘부터 다이어트 해야지."
"오늘만 많이 먹고 내일부터는 적게 먹어야지."

난 그 말을 실천 하는데
그 년들은 어제도 포식을 하고,
오늘도 포식해.

오늘은 밥 한 공기에
채소 몇 가지로 하루를 때웠다.
왜 넌 그렇게 못하니.
또 잡탕밥에 피자에 탕수육이야.
내가 네 SNS에 1만원 후원금을 넣는 건
네 건강을 위해서가 아니라
네가 더 탐욕을 부리기 위해 함을 절대 몰라.

그 년들이 맨 날 하는 얘기.
"더 예뻐지셨네요."
"잘 봤습니다. 도전하는 멋진 모습!"
겉으로는 웃으며 말하지만
속으로는 돼지라고 놀린다.
그래. 속으로는 "이렇게 되지 말아야겠다."
위로받으며 다짐한다.

2034년 6월 21일 수요일

(이 날은 신촌에 있는 피자몰에서 그 존잘남하고 데이트가 있는 날이다. 햇볕이 내리쬐는 늦은 오후. 한껏 꾸미고 난 뒤에 블루 네이션의 거리를 걸으며 저녁에 있을 데이트를 꿈꾸며 노래 부른다.)

Long hair and short skirts
fluttering in the Blue Nation
I'm coming to you.

너에게 모든 것을 맡길게.
오늘은 특별한 날이 되길 바래.
내가 꿈꾸던 날이니까.

Light makeup,
attractive pink lipstick,
It's all for you.

그 년들 말은 듣지 마.
그 년들은 남자를
사귀어 본적이 없어서 그래.
내가 무척 질투 날 테니까.

The girl is a snob.
you are slaughtered.
Don't trust women who say that.

그건 평범한 남자들 얘기야.
자기는 너무 특별하니까.
자기는 네겐 너무 특별한 남자니까. 아니야.

White flesh occasionally visible.
Beautiful big eyes looking at you.
A short skirt just for you.

자기가 어떤 여자를 사귀는지 알아?
다른 남자한테는 내가 특별한 여자야.
그러니까,
너에게 모든 것을 맡길게.
오늘은 특별한 날이 되길 바래.
내가 꿈꾸던 날이니까.

2034년 6월 22일 목요일

(데이트를 마친 다음날 새벽, 그녀는 갑자기 채했는지 구토가 나와 택시에 내려 집근처의 으슥한 곳에서 토하다 모르는 남자들에게 집단 성폭행을 당한다. 일을 벌이기전 남자들은 CCTV를 먼저 망가트린 뒤. 범죄를 일으킨다. 집에 들어와 샤워를 하며 별 일 아니라는 듯 노래를 부른다.)

더러운 것은 씻어내면 돼!
더러운 옷을 빨듯이.
침을 뱉자! 침을 뱉자!
더러운 순간도 빨고,
더러운 시간도 씻어내자!

(마음속에서) 그 놈들을 잡긴 힘들걸.

많이 해본 솜씨인걸.
세상에는 알려지지 않는 일이 많지.
수많은 여자들이
눈물과 한탄의 밤을 지새웠을 거야.

동화속의 공주님 같은 나.
이런 일은 별일 아냐.
블루 네이션이 동화 속 나라는 아니지만
내 자존심마저 잡아먹을 수 없어.
더러운 자기혐오도 빨고,
더러운 흔적들도 씻어내자!

(합창) 블루 네이션! 블루 네이션!
Gorgeous on the outside
but shabby on the inside,
Oh! blue nation!
The fact that you were harmed
by those guys remains the same.

동화속의 공주님 같은 나.
나의 자존심마저 무너뜨릴 수 없어.
더러운 것은 씻어내면 돼!
그 년들이 양성은 평등하다 말하지만
결국 주장하는 건

여자가 우월하다는 거잖아.
왜 더러운 것이 내 몸 속에 들어오는 걸
우월하다고 말하는 거야.

2034년 6월 23일 금요일

(어제 새벽의 일로 스트레스를 너무 받은 그녀는 다이어트 때문에 먹는 걸로는 그 스트레스를 풀 수 없어 성욕으로 풀려고 한다.

평일에 클럽에 가서 남자에게 돈을 받고, 하룻밤 연인이 되기로 한다. 진짜 여신 같은 메이크업으로 돈 많고, 자상한 나이 많은 남자를 유혹하는데 성공한다.

이른 저녁에 열심히 사랑을 나눈 후. 밤에 집에 들어와 갑자기 자기혐오에 빠져 노래를 부른다.)

노을이 지는 저녁 햇살의 살내임.
나는 단 2시간만의 연인.
연인의 시간이 끝나면
각자 서로를 모른 채

방문을 나서고 말지.

내 다리 맡에 쌓인
사랑의 흔적들.
그의 손길을 느꼈고,
그렇게 기분 나쁜 건 아니야.
자상하게 하나하나 가르쳐 나갔어.

푸른 옐로, 방 안에 감도는
나는 단 2시간만의 연인.
수고 했다고 주는 단 돈 이 백 만원.
방문을 나가고 나면
우리는 처음 만나는 사이야.

정당한 수많은 대가.
그가 책임질 일이 없으니
그는 나에게 마음껏 사랑을 나누어 주었지.
몇 번이나 몇 번이나.
나는 그의 사랑의 흔적이 들어있는
내 배를 쓰다듬으며
침대 맡에서 고개를 돌려
처녀처럼 고개 숙인 하얀 달의 살내임을
구슬 같은 눈물을 흘리며 맡네.

나는 단 2시간만의 연인.
서로를 어루어만지며
서로가 사랑을 속삭여도
연인의 시간이 끝나면
각자 서로를 모른 채
방문을 나서고 말지.

2034년 6월 24일 토요일

(그녀는 오늘 충동적으로 명동거리에서 쇼핑을 즐기며 오랜만에 평온을 맛본다. 물론 어제 몸을 판 대가다. 그리고 해외선물방에서 몇 푼돈도 벌었다. 다음 주에는 좀 더 크게 투자할 생각이다. 그녀가 쇼핑을 하고 있을 때 요새 여자들에 대한 노래가 명동거리에서 흘러나온다.)

(song) 요새 여자들에게 부족한 것은
사랑, 믿음, 애정, 신뢰,
단아(端雅), 청순, 우아, 봉사, 기품이라고 하지.

(Rap) I just wanted to
eat food prepared by a woman like my mom.
요새 여자들은 걸핏하면 외식에 배달음식.

자그마한 구멍 난 옷들도 고치지 못해
바지가 조금만 찢어져도 버려야해.
그 놈의 빌어먹을 사상 때문에
남자들도 요리하고 바느질해야해.
그건 좋단 말이야. 너도 똑같이 일한다면.
그런데 왜 넌 집에서 놀기나 하면서
내가 벌어온 돈을 쓰기만하고,
공주처럼 사느냔 말이야.
Everyone is a princess.
Everyone is a princess.
쓸데없는 자존심은 높아가지고,
너의 잘못은 절대 사과하지 않지.
일에도 남자랑 어깨를 같이하는
최고가 되기는커녕
힘든 건 남자, 쉬운 건 여자.
편을 가르고, 그러면서
일에 대한 정당한 대우를 하면
양성평등에 억울하다고 좆나 개거품을 물지.
All men in the Blue Nation are ATM.
Now is the era of women at the top.
결국 상위 0.1% 남자만 대우받고,
나머지는 전부 여자 밑에 깔린 불쌍한 인생들.
언제나 세상은 그래왔어.
원숭이의 사회도 그렇고,

바다코끼리의 세계도 그래.
졸라 잘난 놈들만 여자들을 차지하고,
나머지는 그 부스러기나 입에 벌리며 기다리지.
The world is fucking unfair.
And then they lie
and say that justice is alive.
이건 여자만의 잘못도 아니고,
남자만의 잘못도 아니야.
인간의 한계이며 이런
인간의 한계도 모르는 놈들이
미래는 과학기술 때문에
낙원이 온다고 거짓말을 하지.
(Damned scientists!)
모두다 권력의 시녀며 돈의 노예들이야!
너를 무시하는 여자들도 돈의 시녀들이고,
네가 만지고 싶어 하는
여자들도 권력의 창녀들이야!
Everyone is a princess.
Everyone is a princess.
See the truth of the world!
There is no world for you.
You can only die in this jungle.

(song) 요새 여자들에게 부족한 것은

사랑, 믿음, 애정, 신뢰,
단아(端雅), 청순, 우아, 봉사, 기품이라고 하지.

2034년 6월 25일 일요일

(그녀는 이 날 교회를 쉰다. 수많은 SNS에 답장하며 어장관리를 한다. 한편. 어제는 40년 넘게 산 부부끼리 살인사건이 일어났다. 늙은 남자가 아내를 무참히 살해한다.

그리고 아내를 토막 살인한 채 냉장고, 냉동실에 넣어 둔다. 블루 네이션의 뉴스에서 이 잔혹한 범죄를 노래한다.)

40년간 함께했던
정든 아내여!
이제 굿바이.
나도 왜 이런지 몰라.
이성의 일말도 남지 않아
아이처럼 변했어,
당신이 (당신이)

그냥 나무토막으로 (나무토막으로) 보였어.
내게 지겨운 잔소리.
정말 끝내고 싶었어.
단지 입을 틀어막고 싶을 뿐인데
당신이 (당신이)
그냥 나무토막으로 (나무토막으로) 보였어.

지옥의 악마들이
내 귓가에 속삭여.
아니면 양심이라는 것이
사라졌는지 모르지.

40년간 함께했던
정든 아내여!
편안히 쉬어.
이제 나에게 얽매이지 않아도 돼.
못난 남편 만나서
고생만 했잖아.
당신이 (당신이)
그냥 나무토막으로 (나무토막으로) 보였어.
안식을 줄 수 있는 방법은
이것 뿐.
아니면 내 양심이라는 것이
사라졌는지 모르지.

천사의 목소리가 들려와.
너는 지옥에 갈 거야.
단지 당신이 (당신이)
그냥 나무토막으로 (나무토막으로) 보였어.

2034년 6월 26일 월요일

(그녀는 아이스 카페라떼를 먹기 위해 동네에 있는 카페에 가기 위해 교회를 들리는데 교회 앞에서 사람들이 모여 있다. 교회 앞 광장에 천사로 밖에 보이지 않는 이 세상의 외모가 아닌 소녀가 일렉트릭 기타를 치며 노래를 부르고 있다.

자신의 친구 중에 정말 S급의 외모를 가진 여신 같은 친구가 있는데 저 천사소녀는 그야 말로 그 차원을 넘어선 천상의 미모와 천상의 목소리를 가지고 성스러운 기운이 넘치는 노래를 부른다.)

Do you want power?
Do you want wealth?
Do you want eternal life?
What can you give me in return?
이 모든 걸 가지게 됐을 때
당신은 신에게 무엇을 줄 수 있나요?

아무리 이 모든 걸 가지게 됐어도
절대 신이 될 수 없다는 걸 알아야 해요.
진정한 사랑 없이는
영원한 공허만이 당신을 기다릴 뿐이죠.

Do you want beauty?
Do you want to see the future?
Do you want eternal youth?
What can you give God in return?
이 모든 걸 가지게 됐을 때
신은 당신에게
더 이상 속삭이지 않을 거예요.

아무리 이 모든 걸 가지게 됐어도
절대 신이 될 수 없다는 걸 알아야 해요.
오만함과 자만은
결국 당신의 파멸만 가져 올 뿐이죠.

신이 이걸 준다고 해도
언젠간 당신은
우주의 공허 속에 사라지게 되요.
영원한 우주의 시간 속에
인간의 지식은 단순히 추측일 뿐

실제로 영원의 끝까지 가보지도 못하겠죠.
한 번 태어나는 것은
반드시 멸망하는 법.
오만함과 자만은
결국 인간의 파멸만 가져 올 뿐이죠.

Do you want power?
Do you want wealth?
Do you want beauty?
What can you give me in return?
What can you give me in return?

2034년 6월 27일 화요일

(그녀는 어제 그 천사소녀의 노래가 떠오르지만 오늘 또 해외선물방에 가서 투자를 한다. 그리고 결국 그 동안 모은 돈 사천만원을 잃어버리게 된다. 이젠 밥 사먹을 돈도 없다.

김여사는 내일 또 사천만원을 투자한다면 열 배의 이익을 볼 수 있다고 확신한다. 그녀는 손해 본 금액 때문에 속에서 조바심이 나며 노래를 부른다.)

'한국 남자들은 물소라고 하죠.
젊고 예쁘면 돈이 없어도
뭐든지 용서된다지만
나이가 들고, 얼굴에 주름이 한두 줄 생기면
과연 그럴까요?'

돈, 돈, 돈, 돈, 돈.
악마에게 영혼을 팔아서라도
가지고 싶어.
돈, 돈, 돈, 돈, 돈.
미약 같이 빠져드는
사랑스러운 존재여.

'돈이야 말로 여자의 동반자예요.'
그 말이 나를 미치게 해.
내 수중엔 돈이 없어.
어디서 돈을 빌리지?
친구, 가족, 은행, 대부업체 모두 끌어 모아
잃어버린 것까지 전부 얻어내야 해.

'화려하게 돌아온 싱글이라도
돈이 없다면 쭈그렁탱이 할카스 일뿐이죠.
돈이야 말로 여자의 동반자예요.
돈이 있다면 당신이 원하는 어느 사랑이라도
할 수 있으니까요.'

돈, 돈, 돈, 돈, 돈.
내 몸을 팔아서라도
가지고 싶어.
돈, 돈, 돈, 돈, 돈.

입에 넣어도 달콤한
그 사랑스러운 존재여.

그렇게 위선어린 표정으로
날 쳐다보지 마.
너희들도 나 같다는 걸 알아.
너희들도 돈이라면
악마에게 몸과 영혼을 팔았을 거야.
돈이야 말로 여자의 동반자야.

어디서 돈을 빌리지?
친구, 가족, 은행, 대부업체 모두 끌어 모아
잃어버린 것까지 전부 얻어내야 해.
그 달콤하고, 유혹적인
한없이 찬란한 공주가 되는
꿈을 이루기 위해
난 돈을 모아야해.

돈, 돈, 돈, 돈, 돈.
마약 같이 끊을 수 없는
최고의 유혹.
입에 넣어도 달콤한
그 사랑스러운 존재여.

내 미모를 이용해 이제 돈을 다 모았어.
내일은 오직 승리만 있을 뿐.
돈, 돈, 돈, 돈, 돈.
악마에게 몸과 마음을
팔아서라도 모으고 싶어.
돈, 돈, 돈, 돈, 돈.
네가 없으면 내 인생은 의미 없어.
돈, 돈, 돈, 돈, 돈.
이 세상에 신보다 더 중요한 것.
돈, 돈, 돈, 돈, 돈.

2034년 6월 28일 수요일

(그녀는 해외선물 투자에 모든 것을 잃고, 결국 20살 초반의 나이에 돈 1억 8천이라는 빚을 진다. 그동안 몸을 팔고, 남자를 이용해서 번 돈 뿐만 아니라 자신의 월세 오피스텔의 보조금, 심지어 부모가 모아두었던 돈까지 전부 날려버리고 말았다.
그녀는 신세를 한탄을 하며 신을 저주하며 노래를 부른다.)

내게 행운이 있었다면
내게 신의 자비가 있었다면
이런 일은 겪지 않았을 테지.
하나님! 당신은 나를 실망시켰어.
(어차피 잃게 될 게임이었지.)
내게 시간이 있었다면

내가 부자가 될 운명이었다면
이런 결말은 겪지 않았을 테지.
하나님! 당신은 나를 실망시켰어.
(어차피 예정된 운명이었지.)

차라리 그 돈으로 무엇이라도 해봤으면
이렇게 억울하지 않을 거야.
오마카세를 실컷 처먹는다거나
해리 윈스턴 다이아몬드 반지를 산다거나
샤넬, 프라다 명품 핸드백이라도 사서
모은 돈을 날렸다면
이렇게 억울하지 않을 거야.
빨간 곡선 몇 번 내려가고, 올라가는데
내가 모은 돈들이 없어진다는 게
말이 안 되는 거야.

어쩐지 그 연놈들이 알려준
계좌번호가 이상하더라.
설마 그 MTS가 가짜라니.
모두가 다 짜고 친 가짜라니.
차라리 그 돈으로 무엇이라도 해봤으면
이렇게 억울하지 않을 거야.
하얗고, 예쁜 BMW 미니쿠퍼라도 샀으면
셀린느 라발리에르 드레스라나

Dolce & Gabbana의 쉬폰드레스라도 사서
모은 돈을 날렸다면
이렇게 억울하지 않을 거야.
하나님! 당신은 나를 실망시켰어.
(어차피 잃게 될 게임이었지.)
난 공주가 될 운명인데
당신이 모든 걸 망쳐버렸어.
어차피 속은 년이 바보라고?
하나님! 당신은 나를 실망시켰어.
(넌 공주가 될 운명이 아니야.)
나는 당신을 저주할거야.
하나님! 당신은 나를 실망시켰어.
하나님! 당신은 나를 실망시켰어.
하나님! 당신은 나를 실망시켰어.

2034년 6월 29일 목요일

(경찰에 신고했지만 돌아온 대답은 피해가 많아 사기 당한 돈을 되찾기란 불가능하단 답변이다. 일단 개인 파산을 신청함에 따라 대부업체까지 돈을 갚지 않아도 되지만 수중에 남은 돈은 0원이다. 집주인은 한 달 안에 집을 비워 달라 말하고, 모든 돈을 날린 가족들은 본가에 오지 말라고 한다. 자존심 상하지만 친구에게 밥이라도 얻어먹기 위해 전화하지만 하도 여자들한테도 빈대 붙은지라 모두 다 거절하며 노래를 부른다.)

정말. 공주 같았단 너.
얼굴만 예쁘고, 자존심만 세서
누구한테나 떠받들어야 했지.
넌 무대의 히로인이고,
언제나 사람들 위에 군림하려 했지.
고등학교 때의 네 모습은
너무나 순수했었어.

공주보다는 천사를 동경했었고,
주위 사람들에게도 베풀 줄 알았지.

이제 공주는 없어. 없어.
현실의 장막이 너에게 드리울 거야.
순수한 백합은 꺾인 지 오래 전.
네 몸은 루피너스와 자줏빛 양귀비만이 가득해.
네 예뻤던 몸에선 이제 더러운 마음만이 가득해.

정말 공주 같았단 너.
타인의 혼을 빼놓는 서큐버스 같은 미모지만
그 이면에는 순수한 난초 같은 아름다움은 없어.
넌 사람들의 중심이었고,
넌 남에게 베풀지 않고,
언제나 얻어먹으려 들었지.
넌 자신이 공주라며 떠받는 존재라고 말하며.
고등학교 때의 네 모습은
너무나 청조했었어.
공주보다는 성녀를 동경했었고,
주의 사람들을 잘도 보듬어 주었지.

이제 공주는 없어. 없어.
이제 고난과 더럽힘이 너에게 다가올 거야.
고결한 수선화는 이미 꺾인 지 오래 전.

네 마음은 란 금어초와 빨간 아네모네의 화단이지.
이제 네 고결한 마음엔 탐욕만이 가득해.

이제 공주는 없어. 없어.
너에게 현실의 장벽이 다가와.
우리는 널 도와주고 싶지 않아.
이제 공주는 없어. 없어.
이제 고난과 더럽힘이 너에게 다가올 거야.
불타는 장미는 꺾이고,
돼지가 먹다 만 백색 튤립만 넌 가지게 되겠지.

2034년 6월 30일 금요일

(이제 고난이 시작된다. 하루 한 끼를 라면하나로 때워야 한다. 그것도 맛없는 값싼 라면이다. 매일 마시던 커피가 그립고, 달콤한 케이크가 그립다.)

그대, 그대 모습 너무 아름다워.
칭송받던 내가 왜 이 꼴이 되었을까?
지옥, 이곳은 지옥일거야.
온 종일 라면 한 끼로
굶주린 배를 채우고.
다 써버린 화장품.
순백의 내 외모도 아름다웠지만
이젠 더 빛날 수도 없어.
배는 굶더라도 화장은 포기 할 수 없어.
배는 굶더라도 예쁜 옷들은 포기 할 수 없어.

너무 굶어 토가 나온다고 해도
내 가방들은 포기 할 수 없어.
내 자식들을 팔라고?
어떻게 그리 쉽게 말하지?
나를 돌보아 줄 왕자님을 만나기까지
어떻게든 버텨야 해.
내 자식들을 포기하느니
차라리 밧줄에 목을 매는 게 나아.
예쁜 공주 같던 나.
자존심 상하지만
평범함 속에 녹아 흘러야 하네.
기초화장만으로 버틸 수밖에.
당장 먹을 게 필요하니 일용직을 할 수 밖에.
내 미모로 편한 일은 따 놓은 당상.
예쁜 공주 같던 나.
과거와 같이 놀고먹지 못하지만
아직은 기회가 있어.
꽃 같은 젊음이 있으니
편하게 살 기회가 있어.
그대, 그대 모습 너무 아름다워.
아직 길거리를 다니면
사람들이 날 쳐다보지.
화려하게 꾸미지 않아도
빛 바라지 않는 미모.

굶주린 배를 움켜지며
라면 한 끼로 연명하지만
예쁜 공주 같던 나.
다시 너희들 위에
올라설 날이 돌아올 거야.

2034년 7월 1일 토요일

(일용직으로 그녀는 자신의 외모를 이용해 물류 회사에서 제일 쉬운 일을 한다. 손님에게 택배를 찾아다 주는 일. 사실상 그냥 안내만 하면 된다. 하지만 그녀의 자존심과 자만심 때문에 한 시간 만에 일을 관두고, 집에 온다.)

한 송이 장미 같은 내가
이런 일을 하기엔
너무 연약해.
꽃봉오리 피어오르는
아름다운 눈망울.
슬퍼하기엔 너무 일러.
당신도 내 연약한 white에
진한 검은 빛 물감을
물들고 싶지 않을 테지.

솔직히 싸우고 싶지는 않아.
그냥 못이긴 척
친절하게 웃으며
달리아 향내 빛나는 그 미소로
아름다운 얼굴.
천박하게 웃음을 팔 수도 있겠지만
당신도 내 강렬한 red에
시리어스한 파란 빛 물감을
물들고 싶지 않을 테지.

blue nation pops.
진지하면서도 진지하지 않는.
나의 연약한 white.
blue nation pops.
이런 일은 하고 싶지 않은.
강렬한 자존심의 red.
비겁하다고 해도.
blue nation pops.
Because tomorrow's sun
will rise tomorrow.
(I heard this somewhere.)

2034년 7월 2일 일요일

(오늘은 전에 데이트 했던 존잘 썸남과 다시 데이트 하면서 술까지 마신다. 오랜만에 그 썸남이 오마카세를 사주어서 기분 좋게 먹을 수 있었다.
 그리고 드디어 호텔에 가서 그 썸남과 육체를 섞게 된다. 그녀는 샤워를 하면서 그와의 장밋빛 미래로 노래를 부른다. 그가 자신의 빚도 갚아주면서 생계도 책임질 수 있게.)

오늘 이렇게
첫날밤을 맞이하네.
사랑이라는 것이
뭔지는 몰라.
순한 바람 같은
가벼운 떨림 같아.

뽀송하게 더욱 뽀송하게.

부드럽게 더욱 부드럽게.
그와 함께 살 수 있다면
더욱 기쁜 나날이 찾아 올 거야.

오늘 이렇게
내가 반한 그이와 함께
사랑이라는 것이
알만한 시간을 보내겠지.
과거와는 다른
진정한 사랑을 하고 싶어.

뽀송하게 더욱 뽀송하게.
부드럽게 더욱 부드럽게.
날 잊어주지 않는다면
내일 더욱 기쁜 날이 찾아 올 거야.

설사 별 일 아니라고 해도
난 그이를 반하게 할 수 있어.
내 운명의 상대라 생각하며.
조금은 욕심을 버리며 살아보려고 해.

뽀송하게 더욱 뽀송하게.
부드럽게 더욱 부드럽게.
진정한 사랑이라는 것이 뭔지 몰라도

이제 시작되려 할 거야.
뽀송하게 더욱 뽀송하게.
부드럽게 더욱 부드럽게.
진정한 사랑이라는 것이 뭔지 몰라도
나는 놓치지 않을 거야.

2034년 7월 3일 월요일

(그날 밤 격정적인 사랑을 나누고, 피임까지 신경 안 쓰고, 그가 원하는 대로 욕구를 들어주었다. 하지만 다음날. 그에게 연락을 보내려고 하나 메신저에 알 수 없음이라고 뜨고, 연락도 되지 않는다.
 인정하기 싫지만 먹튀한 거 같다. 그녀는 자신이 버려진 거에 대해 인정할 수 없어 현실을 부정한다.)

나는 좋은 아내가 될 수 있었어.
물론 당신이 돈을 벌어다 줄때까지
좋은 아내로 남아 줄 수 있어.

남자의 외모는 한 순간.
여자의 외모는 영원해.
옛날부터 변하지 않는 공식.
남자는 능력, 여자는 외모.
나의 완벽한 외모에

너의 인생은 즐거울 텐데.

나는 좋은 연인이 될 수 있었어.
물론 당신이 내게 선물을 사줄 때까지
좋은 연인으로 남아 줄 수 있어.

남자의 외모는 한 순간.
여자의 외모는 영원해.
옛날부터 변하지 않는 공식.
남자는 능력, 여자는 외모.
나는 재미없는 여자라도
나를 바라보기만 해도 좋을 텐데.

나는 좋은 친구가 될 수 있었어.
물론 당신이 나에게 식사대접을 할 때까지
좋은 친구로 남아 줄 수 있어.

남자의 외모는 한 순간.
여자의 외모는 영원해.
여자의 가치는 남자보다 우위에 있지.
그러나 예부터 변하지 않는 공식.
남자는 능력, 여자는 외모.
여신 같은 몸매의 나를
왜 붙잡지 않는지 모르겠어.

나 같은 여자를 붙잡으려면
네가 가진 돈을 전부 써도 모자를 판에
왜 나를 붙잡지 않는지 모르겠단 말이야.
남자의 외모는 한 순간.
여자의 외모는 영원해.
여자의 가치는 남자보다 우위에 있지.

2034년 7월 4일 화요일

(썸남과 가족들에게도 외면 받은 그녀는 자신을 믿고, 고민을 털어놓은 그 개 같은 년을 이용하여 돈을 벌 계획을 세운다.

정말 악마도 울고 갈 무시무시한 계획을.)

좋은 친구인척 하며
그 년의 남자에게 접근하는 거야.
우리 둘은 서로 영혼을 함께 한
친구라며 그와 그 년을 서로 축복하는 거지.

계획이 계획이 계획이.

그 남자는 부자랬어.
그 남자는 사업을 한댔어.
그 남자는 여자경험이 없다고 했어.
여자의 가치는 남자보다 우위에 있지.

그러나 예부터 변하지 않는 공식.
남자는 능력, 여자는 외모.

그 년의 남자를 내 외모와 몸매로 뺏고,
그 년을 사고사(事故死)로 죽일 계획을 세워야해.
절대 살인으로 들켜서는 안 돼지.
내가 의심 받을 테니.
산에 둘이 가서 조난 시켜 죽일까?
물에 둘이 가서 익사 시켜 죽일까?
건물에 가두어 번개탄으로 죽일까?
그 년만 없으면 그 물소는 내 차지야.

계획이 계획이 계획이.

그 남자는 건물이 몇 채 있다고 했어.
그 남자는 홀어머니가 있다고 했어.
어차피 둘이 따로 나가 살면 돼.
그 년은 늙은이를 모신다고 했지만.
난 따로 나가살도록 유혹할거야.
여자의 가치는 남자보다 우위에 있지.
그러나 예부터 변하지 않는 공식.
남자는 능력, 여자는 외모.

다음 주부터 계획 실행을 위해선

내 남은 걸 외모에 투자해야 해.
좋은 친구로 보이기 위해 그 개 같은 년과
연락도 해야 하고.

계획이 계획이 계획이.

여자의 가치는 남자보다 우위에 있지.
그러나 예부터 변하지 않는 공식.
남자는 능력, 여자는 외모.
어차피 죽으면 모든 것은 무.
이 블루 네이션에 살 때 모든 것을 누려야 해.

계획이 계획이 계획이.
계획이 계획이 계획이.

2034년 7월 5일 화요일

(사악한 계획을 위해 그녀는 미용실을 오랜만에 찾는다. 그리고 한껏 꾸민 다음 블루 네이션의 거리를 걸으니 남자들과 여성들의 시선을 한껏 사로잡는다.
 블루 네이션의 강남 일대를 걸으며 그녀는 언제나 부도덕한 블루 네이션을 찬양한다.)

blue nation pops.
Rich people are always welcome.
조잘거리는 아름다운 새소리도
모두 나를 위해 축복하는 것.
이 잘난 제국은
인생 승리자와 아름다운 것들이 넘쳐나네.
인생 패배자로 산 다는 것은
아무리 정의로운 삶이라고 해도
결코 옳다고 여기지 않아.
“Guilty by poor, innocent by rich."

아름다운 저 여신상을 찬양하라.
여존남비의 세상.
blue nation pops.
여신상의 아름다운 여체는
모두 나를 본따 만든 것.
이 잘난 제국은
속마음은 어쨌든
아름다운 꽃들이 넘쳐나네.
못난 꽃으로 산다는 것은
아무리 정직한 삶이라고 해도
결코 대접받을 수 없어.
“If you look pretty on the outside,
you're good on the inside anyway.”
blue nation pops.
신 같은 것은 없고,
오직 현실만이 중요해.
종교를 믿는 사제들도 전부
돈에 환장한 사람들 뿐.
교회의 규모가 곧 신앙의 규모라고 떠벌리지.
나는 죽으면 무가 될 거야.
무가되기 전 실컷 부귀영화를 누릴 거야.
진정한 사랑이니 정의니 떠벌리는 놈들
전부 인생패배자들.
“This is a world where vicious,

realistic guys succeed."
Oh! blue nation pops.
나의 제국이여.
약간의 도덕과 윤리만이
우리를 보호하네.
그 개 같은 년을 죽이고,
행복을 쟁취할거야.
나보다 예쁘고, 운이 좋은 것들은
전부 지옥에 보내 줄 거야. (남모르게.)
Oh! blue nation pops.
나의 제국이여.
찬양을 받으시옵소서.
인생 승리자들만 찬양하는
유물론자들의 현실적인 제국이여!

2034년 7월 6일 수요일

(그녀는 생리를 안 한지 오래되었다. 임신 테스터기로 확인해보니 두 줄이 그어진 게 임신이 확실하다. 아직 아기가 자라지 않아 낙태를 할 수 없어 아기가 자랄 때까지 마통으로 유럽 낙태여행을 떠나기로 한다. 누구 아이인지 몰라도 그녀는 이 아이를 저주하며 노래를 부른다.)

(female song) 나는 떠날 거야.
자유가 있는 곳으로.
가끔씩 기분 전환이 필요할 때가 있지.
때가 되면 이 짐도 덜을 수 있을 테고.
다시 돌아오면 내 인생의
새 장이 기다리고 있을 테니까.

(metal) 이 아이 말고는 너에게 앞으로 아이는 없어!
넌 평생 사랑만 갈구 하며 살겠지.
모성애도 없이 공허한 자궁을 가진 너는
결국 생명을 키워내지 못하는 공허한 꿈일 뿐이야!

(male rap) You dream of your own world.
But only the end awaits at the end.
슬픈 아이 하나 울고 있네.
너를 구원해 줄 천사는 없고,
너는 공허한 야망만 붙잡지.
속삭이는 천사의 노랫소리도.
아이에게 젖을 먹이며 미소 짓는
어머니의 성스러운 미소도.
너에겐 다 쓸데없는 풍경화일 뿐.
blue nation의 운명은 엘리트가 지배하는 세상.
결국 우리 모두 좆같은 종말을 맞이하겠지.

(female song) 나는 떠날 거야.
흥미가 가득한 곳으로,
가끔씩 썸씽이 필요할 때가 있지.
어떤 이벤트가 날 기다리고 있을지 몰라도
다시 돌아오면 내 인생은 날개를 달 테니까.

(metal) 이 아이 말고는 너에게 앞으로 아이는 없어!

넌 평생 사랑만 갈구 하며 살겠지.
모성애도 없이 공허한 자궁을 가진 너는
암흑의 여왕마저 널 경멸하게 될 거야.

(male rap) You were always a good girl.
You became a devil with those
damn thoughts and desires.
이젠 널 위해 울어 줄 아이 하나 없어.
가족들과 친구들 다 너를 저주해.
너를 구해줄 천사를 넌 죽이려 하네.
네 인생에는 공허함이 가득할 뿐.
네 욕망의 종말은 바로
감정 없는 차가운 침대란 걸
넌 깨닫지도 못하겠지.
blue nation의 운명은 결국 부자들의 낙원.
결국 우리 모두 좆같은 종말을 맞이하겠지.

(female song) 나는 떠날 거야.
이 짐을 덜기 위해.
꿈과 낭만이 있는 곳으로.
반드시 이 짐을 덜고 말거야.
다시 이 곳으로 돌아오면
새로운 인생이 기다리겠지.
새로운 인생이 기다리겠지.

에필로그

(지옥의 마왕과 악마는 그녀가 죽어서 지옥에 오길 기다린다. 신의 섭리가 어째서 그녀의 뱃속에 인류를 위한 위인을 잉태하게 했는지 몰라도 한 인간의 욕심 때문에 자신들이 승리했다고 자축하면서 그녀를 경멸하고, 저주하며 춤을 추면서 노래 부른다.)

(faint female voice) 나는 떠날 거야.
자유가 있는 곳으로.

(Chorus of Demons) 네가 이곳에 오길 기다리마.
넌 죽어서 무가 될 거라 여기지만.
넌 죽어서 이 지옥에서
영원한 고통에 빠지리라.
찢기고, 짓이겨지고, 뭉개지는 영원한 고통을.

(rap) 네 운명을 가르쳐 주마.

신은 가끔씩 피조물에게 이상한 운명을 내려주지.
제일 썩은 하천 물에서
아름다운 다이아몬드를 품는
그런 기적을.
네 모든 운은 네 자식의 운이며
넌 결코 네 스스로의 의지로 돈도 벌지 못하고,
살아갈 수 없으리라.
네 아이는 널 두 번 죽음의 고비를 살릴 건데.
네 아이가 다섯 살 때.
네 아이가 열 살 때.
널 죽음의 고비에서 살리리라.
넌 미혼모로 네 아이가 스무 살이 될 때까지
좆 빠지게 고생하지만
네 아이가 장성하면 어떻게 될지
넌 상상도 못 할 거야.

(faint female voice) 나는 떠날 거야.
이 짐을 덜기 위해.
꿈과 낭만이 있는 곳으로.
반드시 이 짐을 덜고 말거야

(Chorus of Demons) 네가 이곳에 오길 기다리마.
네 아들은 온 세상 철장의 왕이 될 것이며
온 세상의 이들을 인도할 왕이 될 것이다.

넌 네 욕심으로 왕을 죽이는 구나.

(rap) 넌 아들 없이 오년 밖에 살지 못 할 것이며
아이가 장성하는 날
넌 세상에서 가장 부유한 여자가 되리라.
이것도 네가 아이를 살리고,
모성애로 그 아이를 키웠을 때의 이야기.
네 두 눈엔 욕심만이 가득하며
진실 된 영혼이 하나도 없다.
이 아이를 뱃속에서 죽이면 넌
신을 기만하는 자로써 가롯 유다와 같이
사탄의 입가에 물려서 영원히 받을 것이며
네 운명은 비참한 말로를 걸을 것이다.

(Chorus of Demons and faint female voice)
나는 떠날 거야.
이 짐을 덜기 위해.
네가 이곳에 오길 기다리마.
꿈과 낭만이 있는 곳으로.
넌 죽어서 이 지옥에서 영원한 고통에 빠지리라.
찢기고, 짓이겨지고,
뭉개지는 영원한 고통을.
다시 이 곳으로 돌아오면
새로운 인생이 기다리겠지.

신을 기만하는 자로써 가롯 유다와 같이
사탄의 입가에 물려서 영원히 받을 것이며
네 운명은 비참한 말로를 걸을 것이다.

(faint Demon king voice) 어떻게 하다
네가 이렇게 됐지?
정말 아들을 뱃속에서 죽인다면
너무나 비참한 말로로다.

(완결)

글쓴이의 말

이 시집은 연시(poem cycle)로써 동일한 주제를 다르게 변주해서 쓰고 있다.

사실 쓰고 싶었던 것은 성폭행 당한 여성이 블루네이션을 걸으면서 그 화려하지만 인간미 없는 차가운 풍경을 노래하는 주제를 쓰고 싶었다.

그리고 그 뒤에는 스스로 강에 몸을 던져 자살하는 시를 쓰고 싶었는데 어떻게 전혀 다른 방향의 이야기가 되었다.

지금 이 블루네이션의 상황과 크게 다르지 않는 너무나 시리어스하고, 우울한 이야기다.

물론 남성들도 잘못이 크고, 어떤 한 성별을 매도하는 것은 아니다.

양성 모두 잘못된 사상에 의해서 영향을 받고 있고, 나는 그게 참 안타까울 뿐이다.

언제나 역사적으로 실제 역사를 움직이는 것은 여성이다.

그리하여 여성에게 희망이 있듯이 다음 세대의 여성이 현 블루네이션의 희망이 되면 하는 바램이다.